한국민화전집

韓國民畫全集

THE FOLK PAINTINGS OF KOREA

이영수 저 (李寧秀 著)

圖書出版 韓國學資料院

目次 CONTENTS （二 卷）

圖 1

圖 2

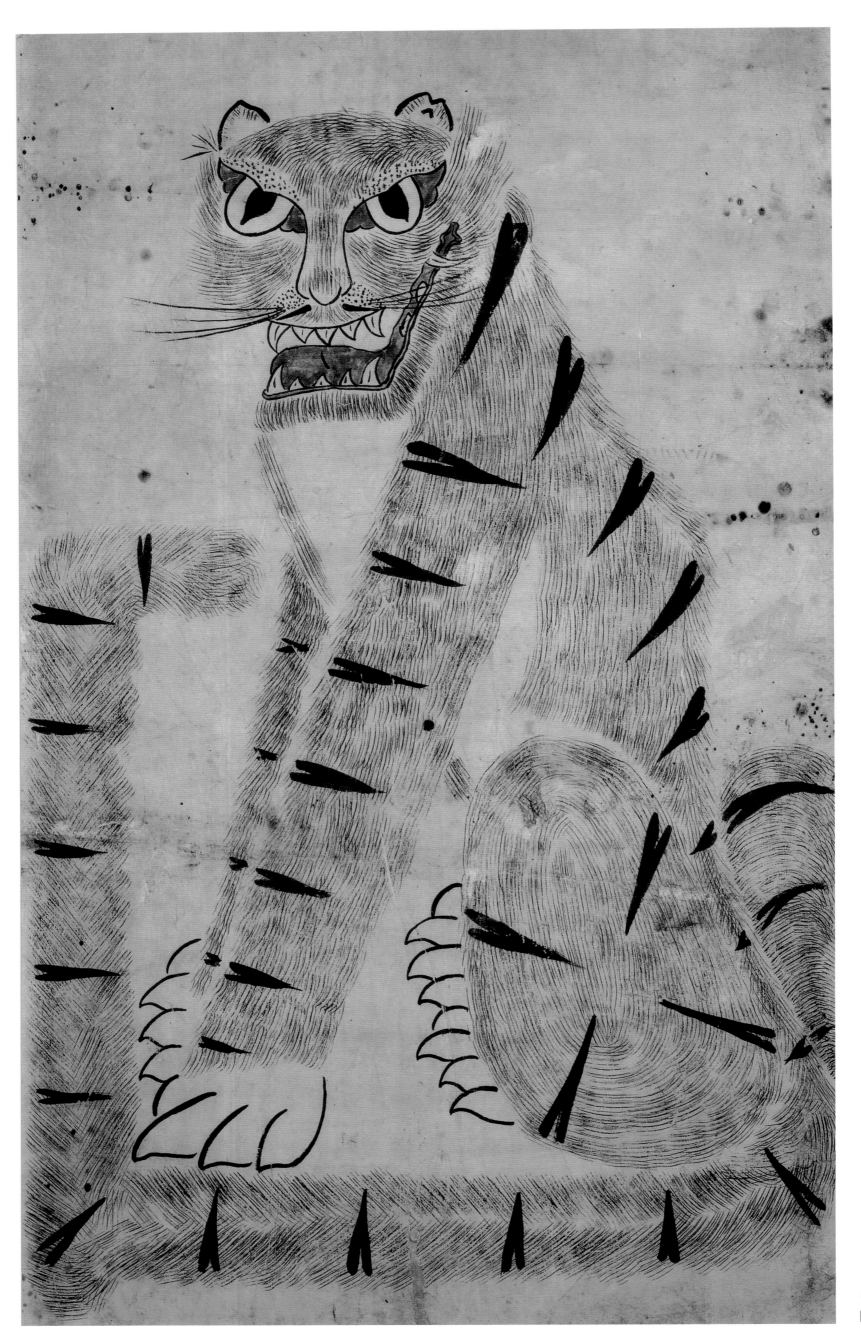

圖 5

圖6

圖 7

圖 8

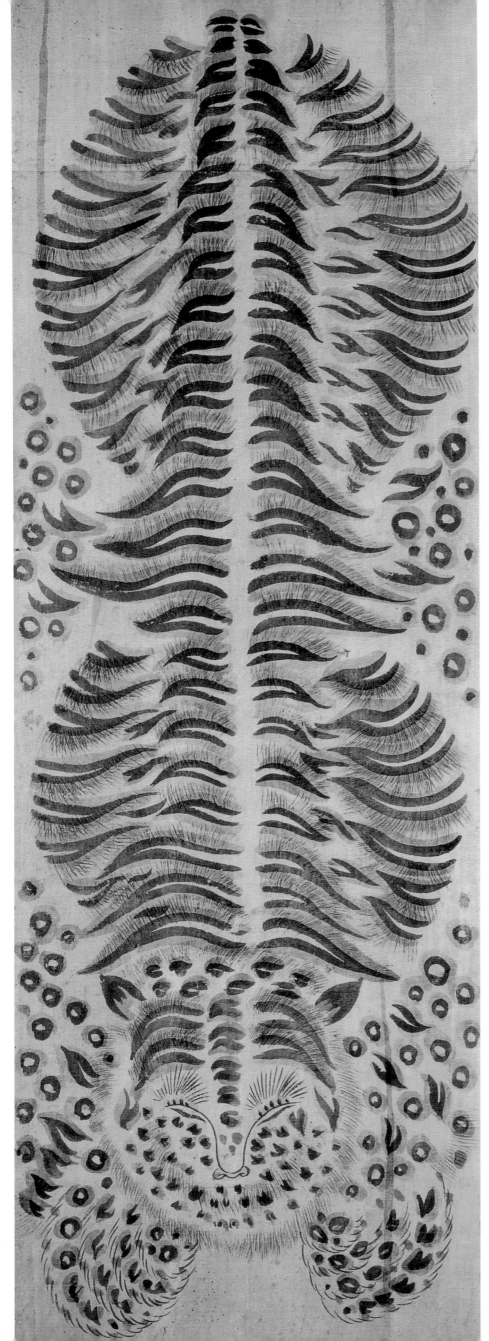

圖 9

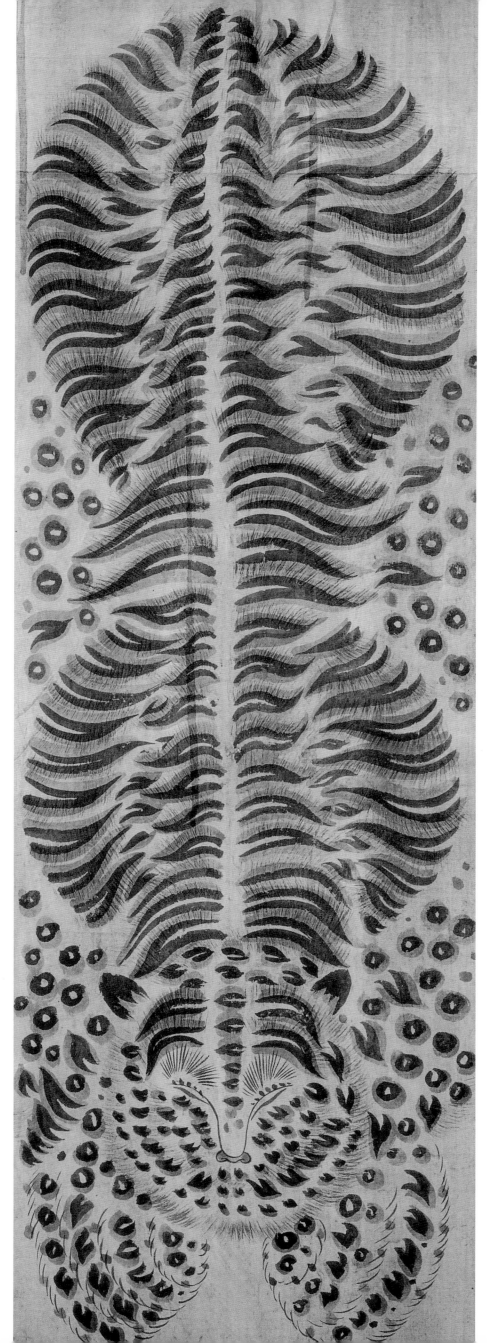

圖 10

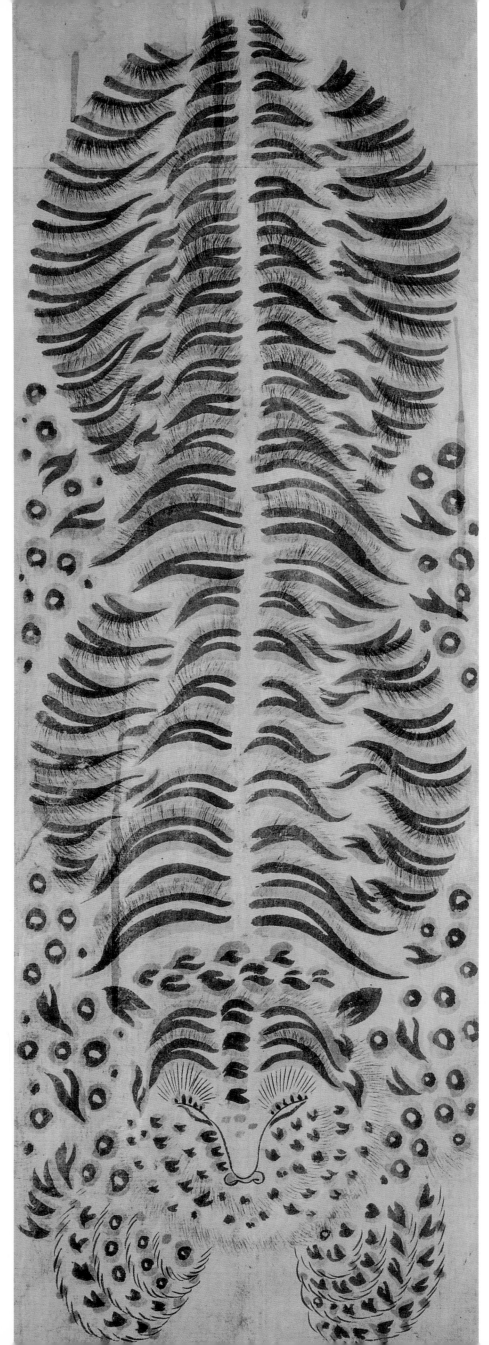

圖 11

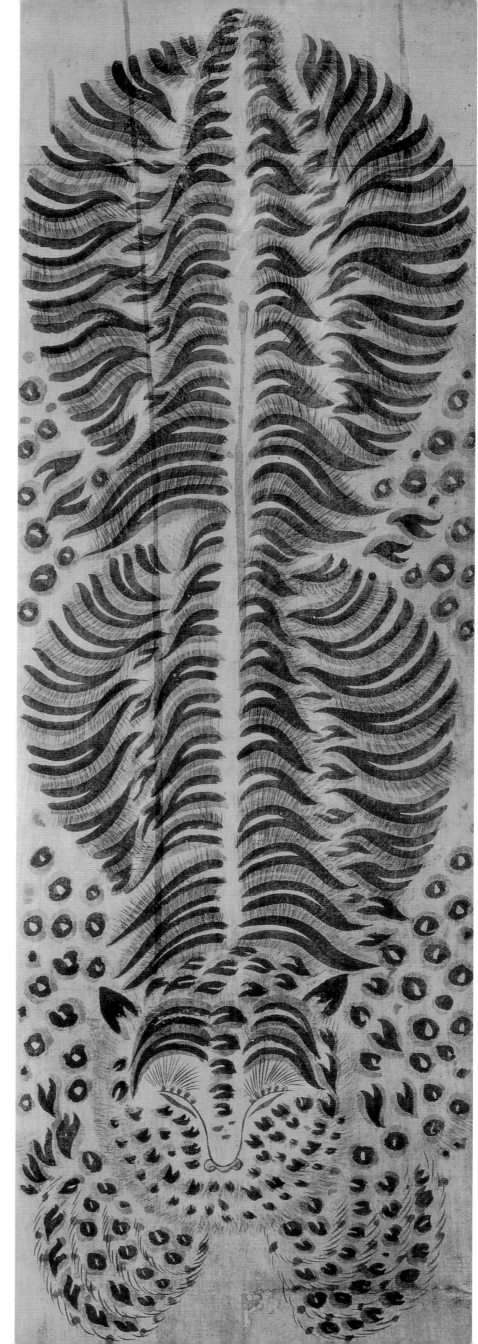

圖 12

圖 13

圖 14

遙池春雲
春鶯傳語

上林春風
內廄傳書

圖 15

孤竹清風節
千古遺風

三周收魂
羌背丹心

圖 16

圖 17　　　　　　　　　　　　　圖 18

圖 19

圖 20

圖 21

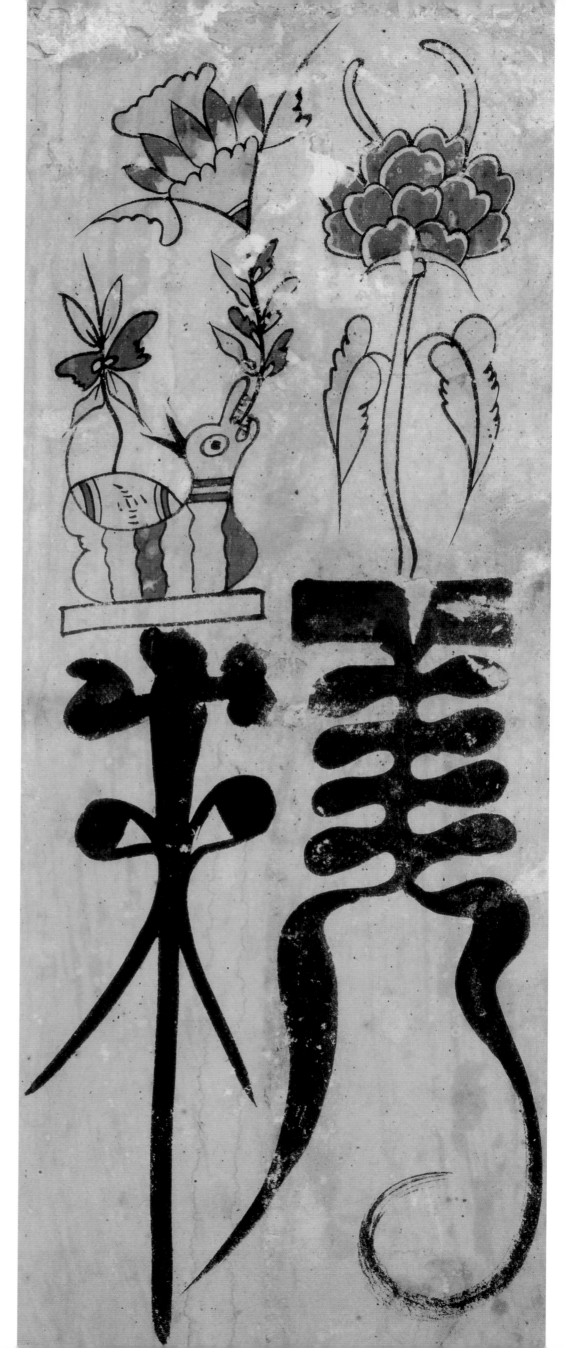

圖 22

圖 23

圖 24

圖 25

圖 26

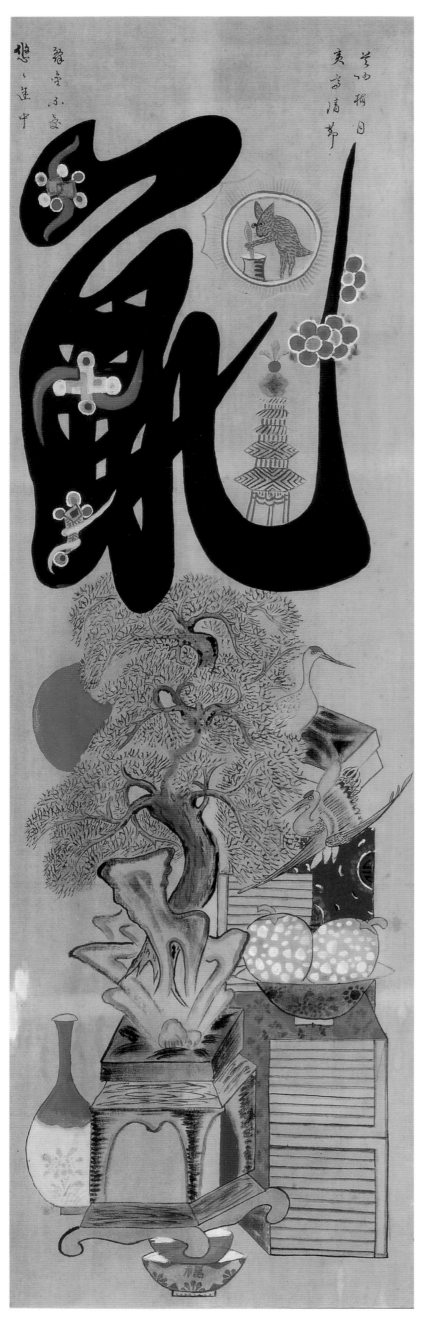

圖 27
圖 28

圖29
圖30

圖 31
圖 32

圖 33
圖 34

圖 35

圖 36

圖 37

圖 38

圖 39　　　　　　　　　　　　　　　　　　圖 40

圖 41　　　　　　　　　　　　　　　　　　　　　　　圖 42

圖 43

圖 44

圖 45

圖 46

圖 47

魚變朱虬
鰲蛤献景

圖 48

鶺鴒在原

兄弟急難

圖 49

王鯉孟竹

茇甫寧翠

圖 50

圖 51

龍逢直節
比干赤心

魚變成龍
鰕蛤相賀

圖 52

圖 53

圖 54

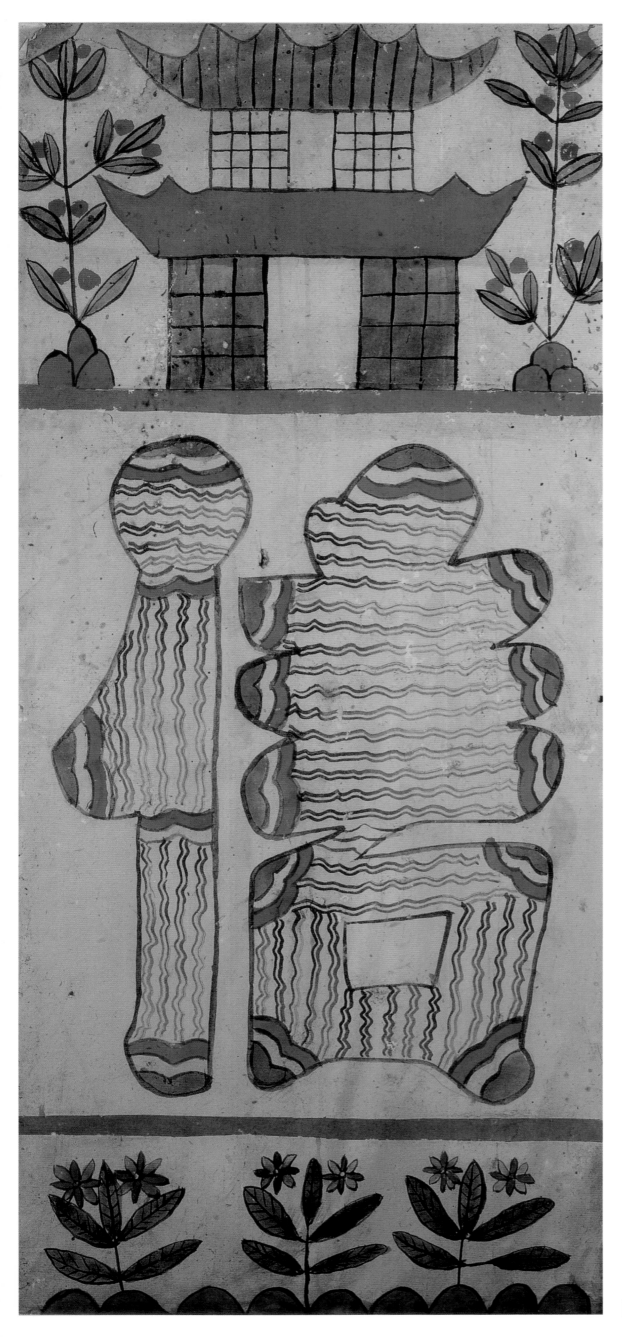

圖 55

圖 56

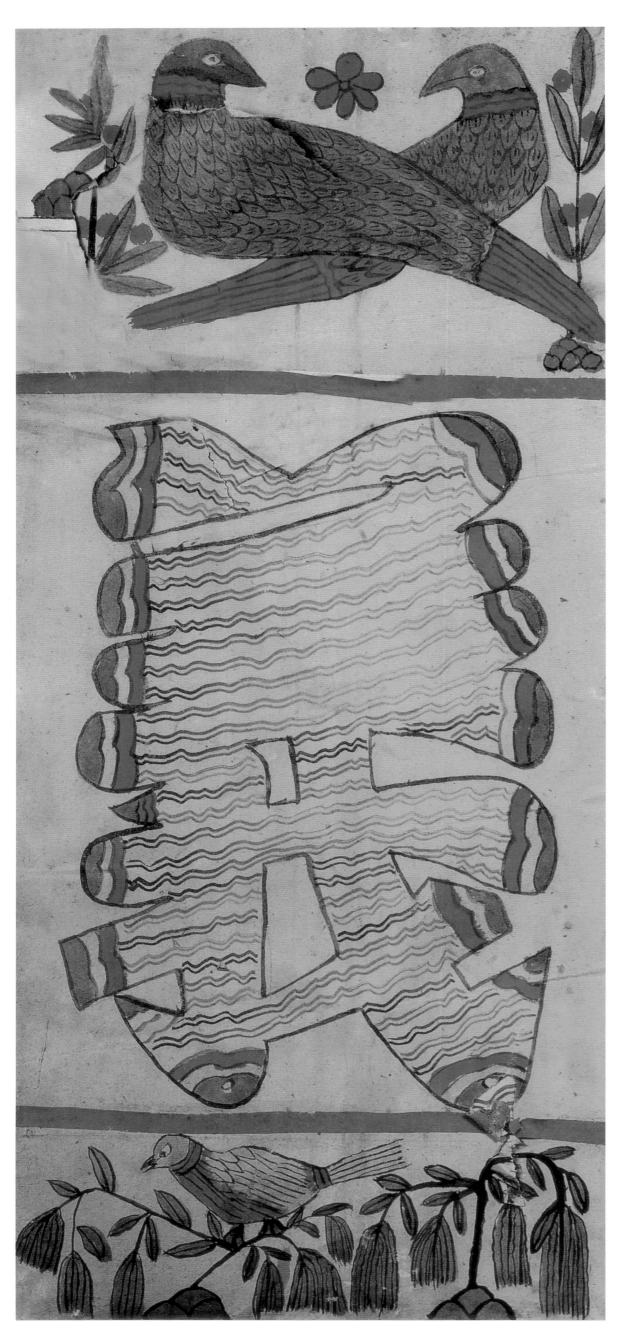

圖 57

圖 58

圖 59

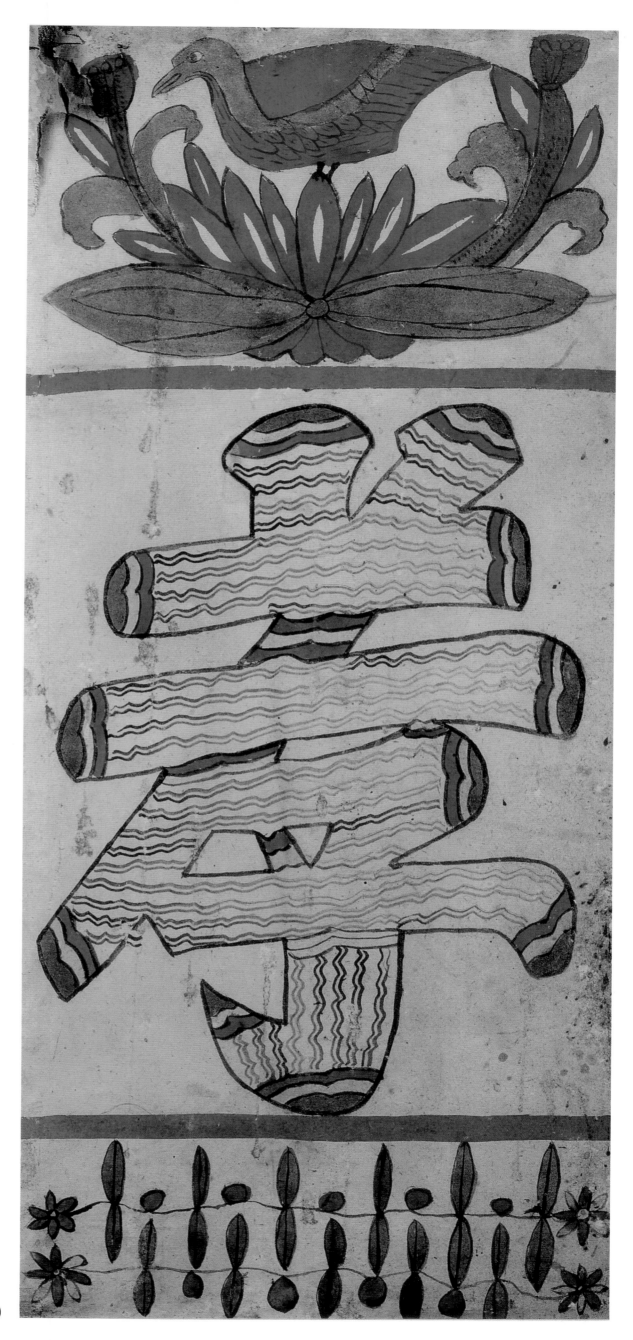

圖 60

圖 61

圖 62

圖 63

圖 64

圖 65

圖 66

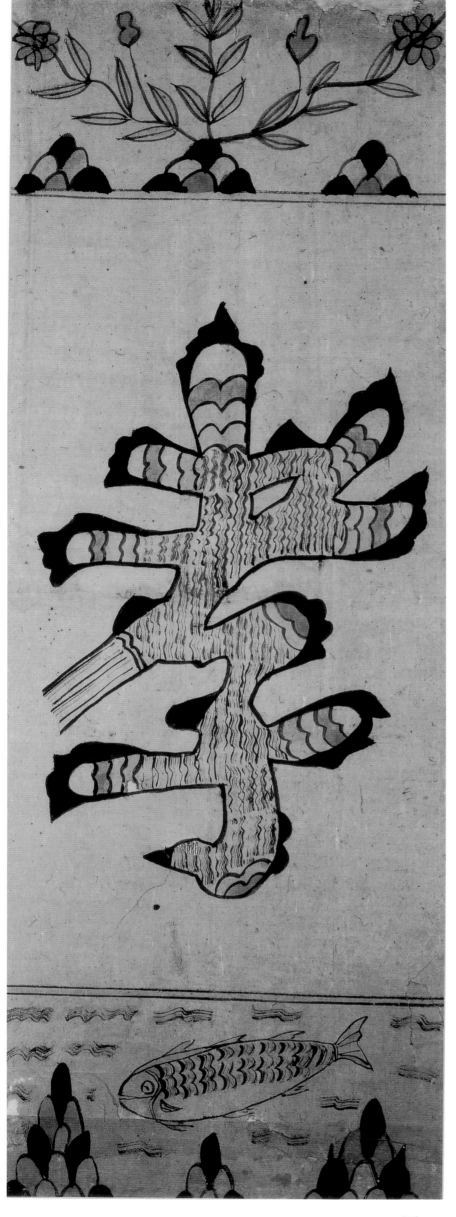

圖 67 圖 68

圖 69

圖 70 　　　　　　　　　　　　　　　　　　圖 71

圖 72   圖 73

圖 75

圖 76

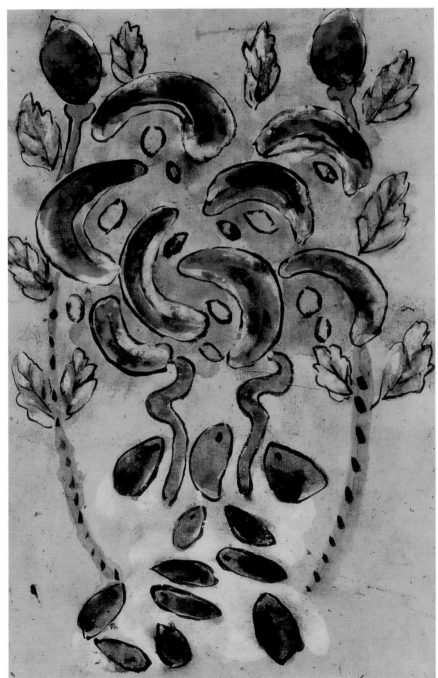

圖 77　　　　　　　　　　　　　　　　　　　　圖 78

圖 79

圖 80

圖 81

圖 82

圖 83　　　　　　　　　　　　　　　　圖 84

圖 85

圖 86

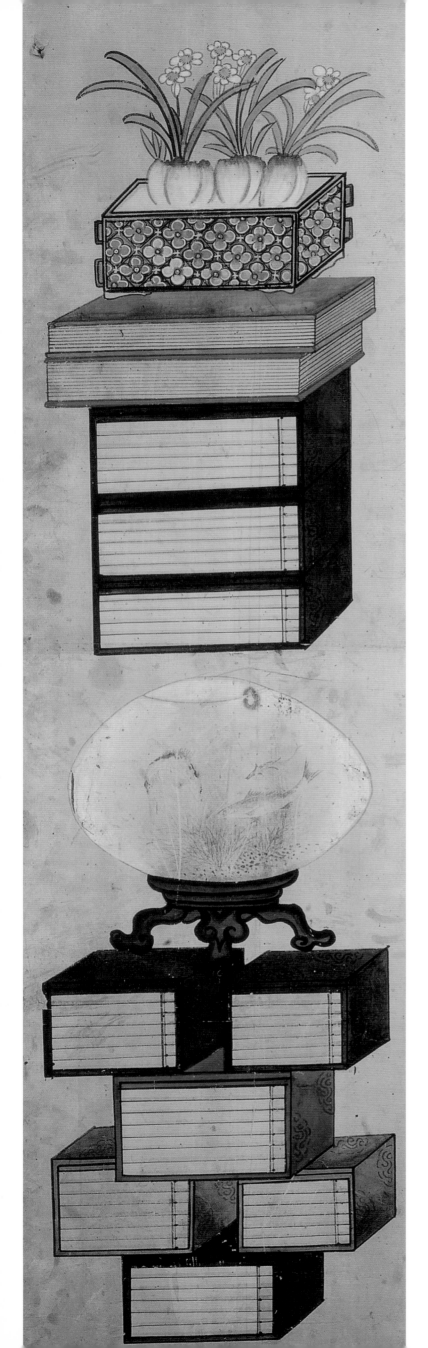

圖 87

圖 88

圖 89

圖 90

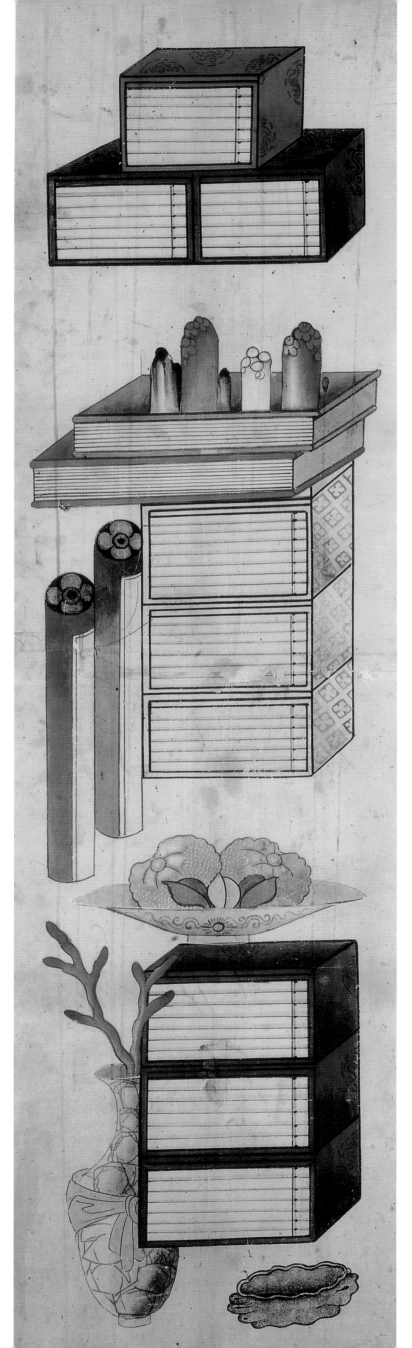

圖 91

圖 92

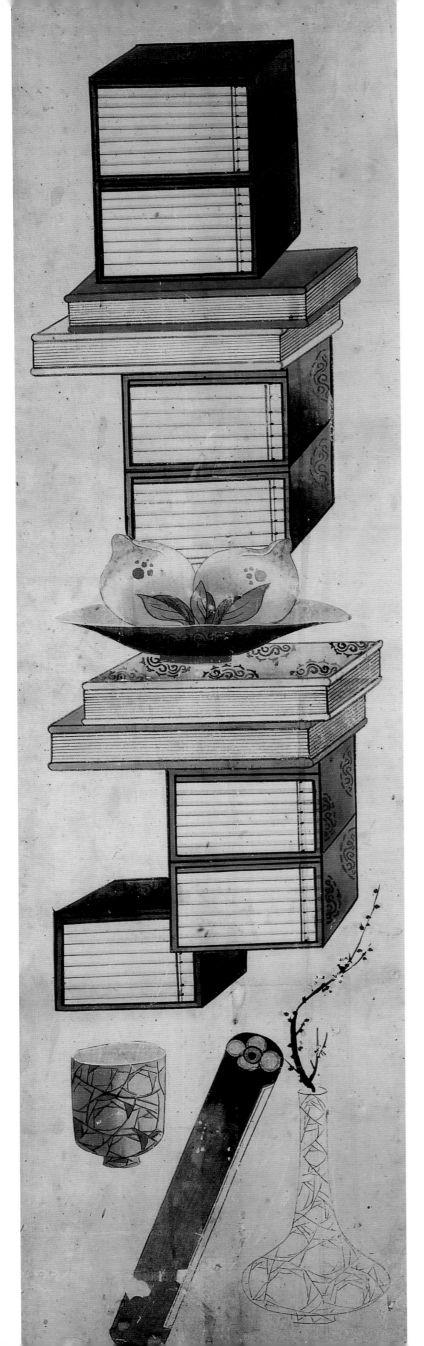

圖 93

圖 94

圖 95

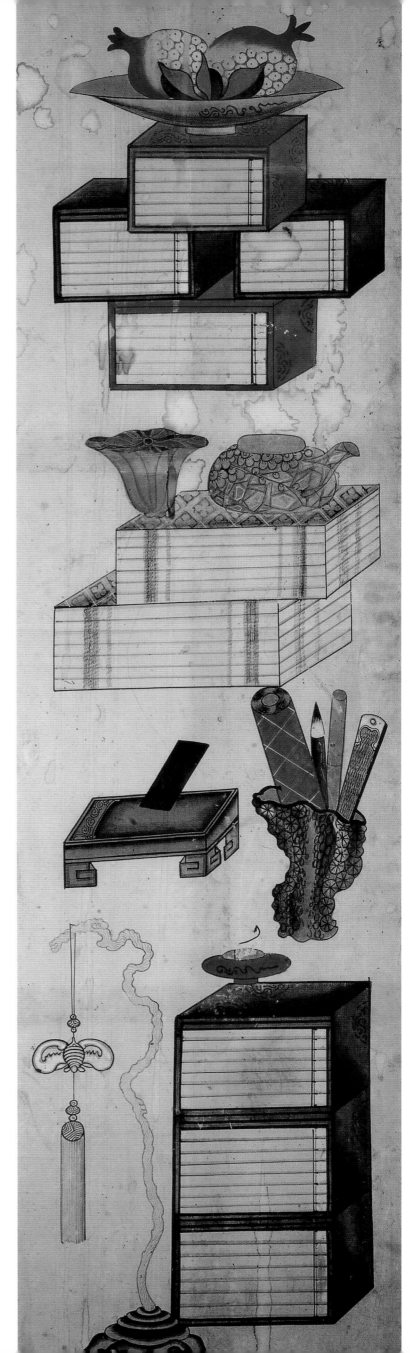

圖 96

圖 97

圖 98

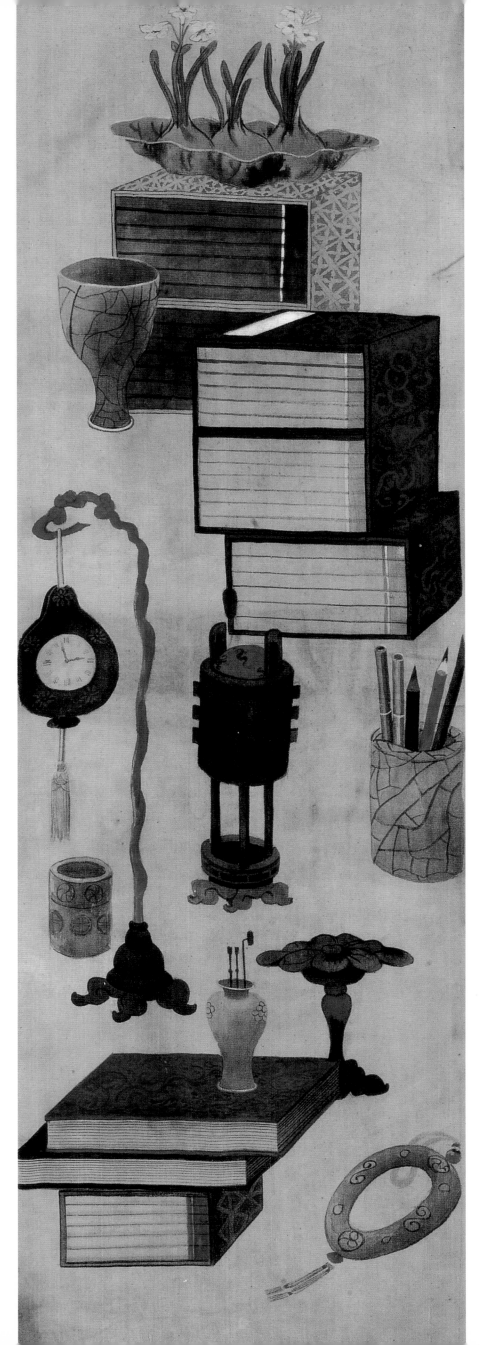

圖 99

圖 100

圖 101　　　　　　　　圖 102

太真芳名
不履生云

圖 103

花中王

圖 104

富貴繁華
兄弟相友

圖 105

孤山處士
妻梅子鶴

圖 106

東風三月灼灼花
金鷄啼罷
日輪紅

九秋芳香
隴山能言

圖 107

圖 108

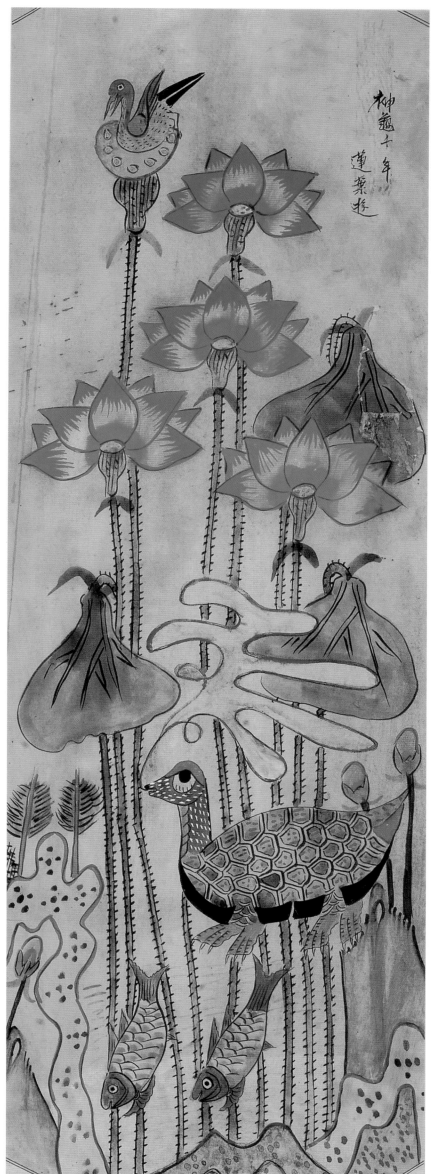

英山古根
孔雀弄春

神龜十年
蓮葉遊

圖 109 圖 110

圖 111

圖 112

圖 113

圖 114

圖 115

圖 116

圖 117

圖 118

圖 119

圖 120

圖 121

圖 122

圖 123

圖 124

圖 125

圖 126

圖 127
圖 128

圖 129
圖 130

圖 131   圖 132

圖 133

圖 134

圖 135

圖 136
圖 137

圖 138

圖 139

圖 140

圖 141

圖 142
圖 143

圖 144

圖 145

圖 146
圖 147

圖 148

圖 149

圖 150

圖 151

圖 152

圖 153

圖 154

圖 155

圖 159

圖 160

圖 161

圖 162

圖 163

圖 164

圖 165

圖 166 圖 167

圖 168

圖 169

圖 170

圖 171

圖 172

圖 173 ▶

圖 174 ▶

圖 175

圖 176 ▶
圖 177 ▶

州墨只在
南湖上
山色水光相與清

圖 178

圖 179

圖 180 ~ 183

圖 184 ~ 186

圖 187

圖 188　　　　　　　　　　　　　　　　　　圖 189

圖 190

圖 191

圖 192

圖 193

圖 194

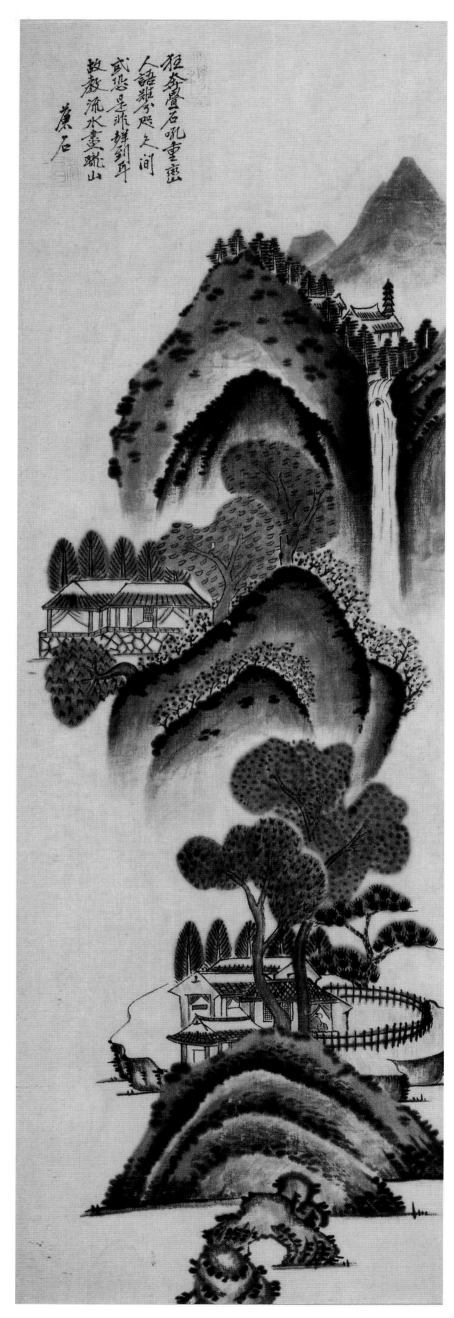

狂奔疊石吼重巒
人語難分咫尺間
試恐是非辯到耳
故教流水盡聾山
蕉石

圖 195

圖 196

圖 197

圖 198

圖 199

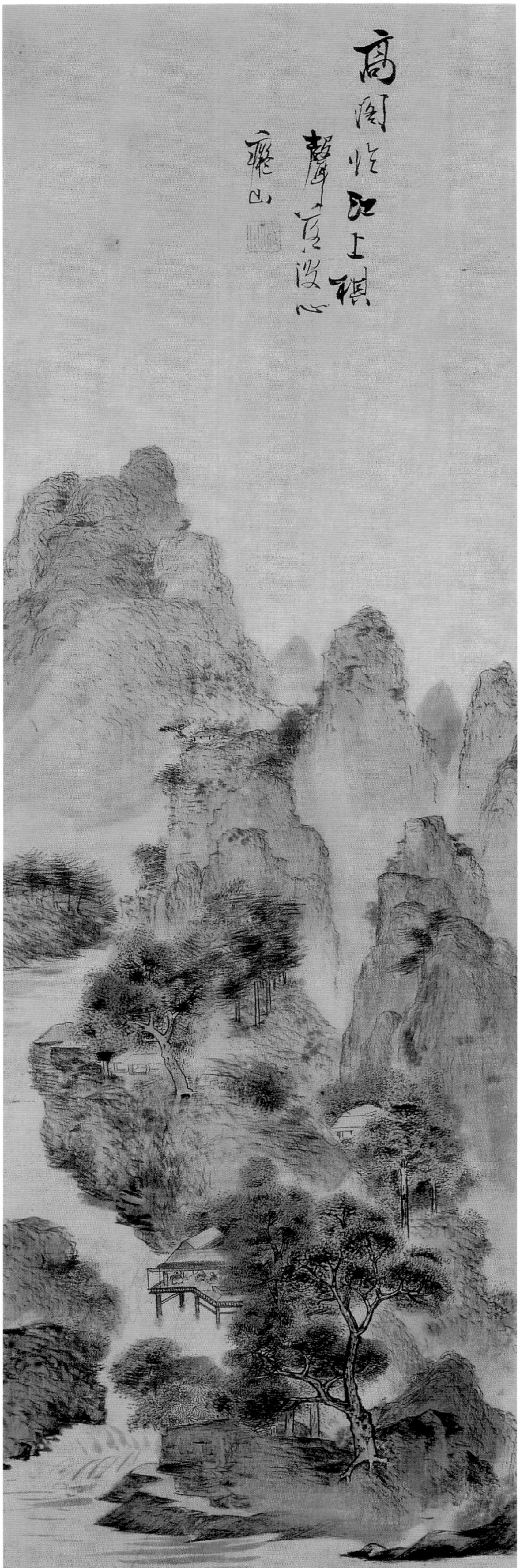

圖 200

圖 201 ▶
圖 202 ▶

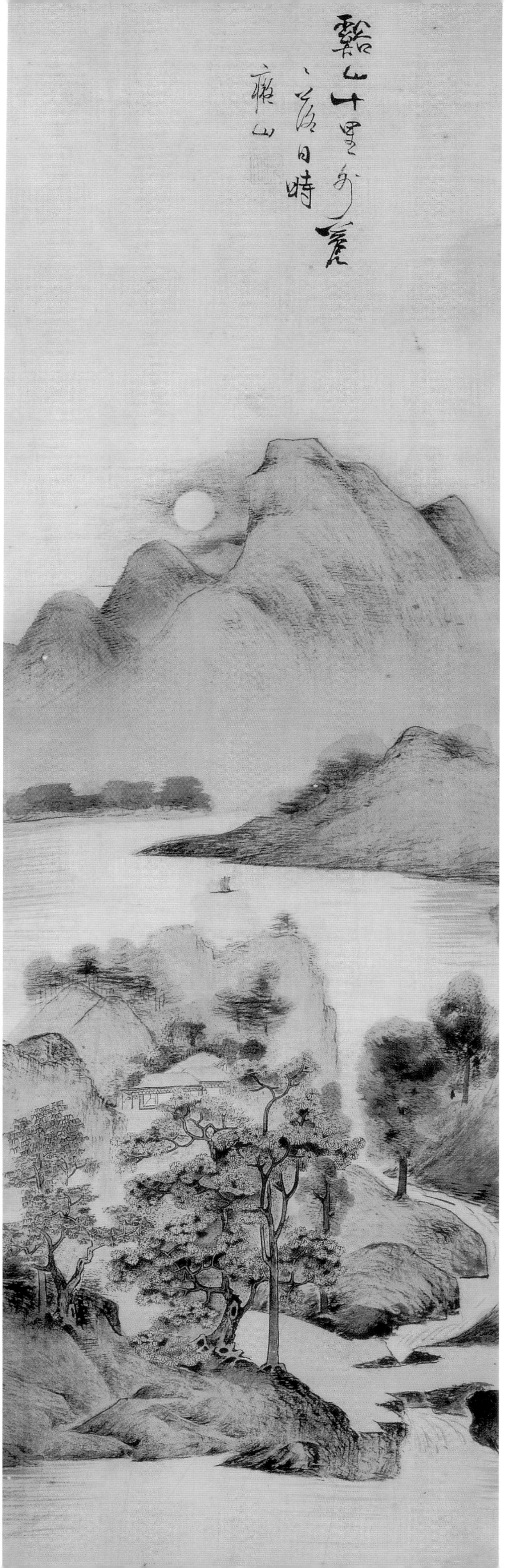

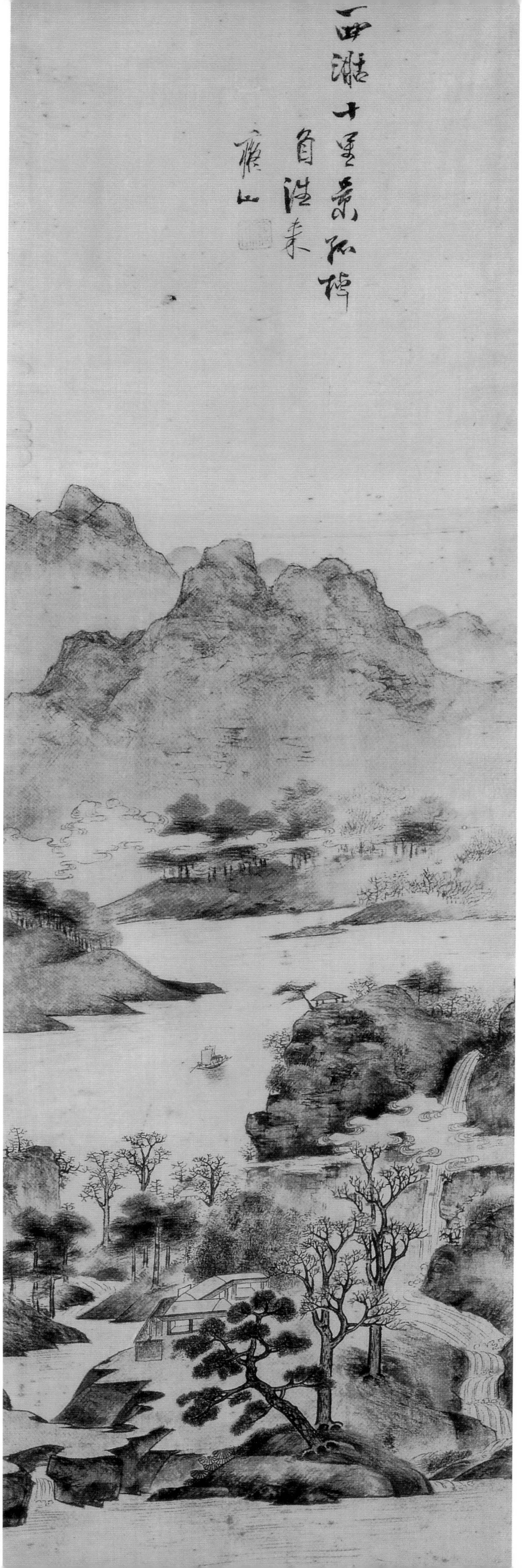

荷蓋山前
闢洞天
家家濃染雜榆梓
鬱若茲
闊閻撲地
填東馬
南北行人
幾景覺

斜風細雨不
須悔

笨魚撥活柳
足

圖 206
圖 207

圖 208
圖 209

圖 211
圖 212

圖 210

圖 213
圖 214
圖 215

圖 216

圖 217

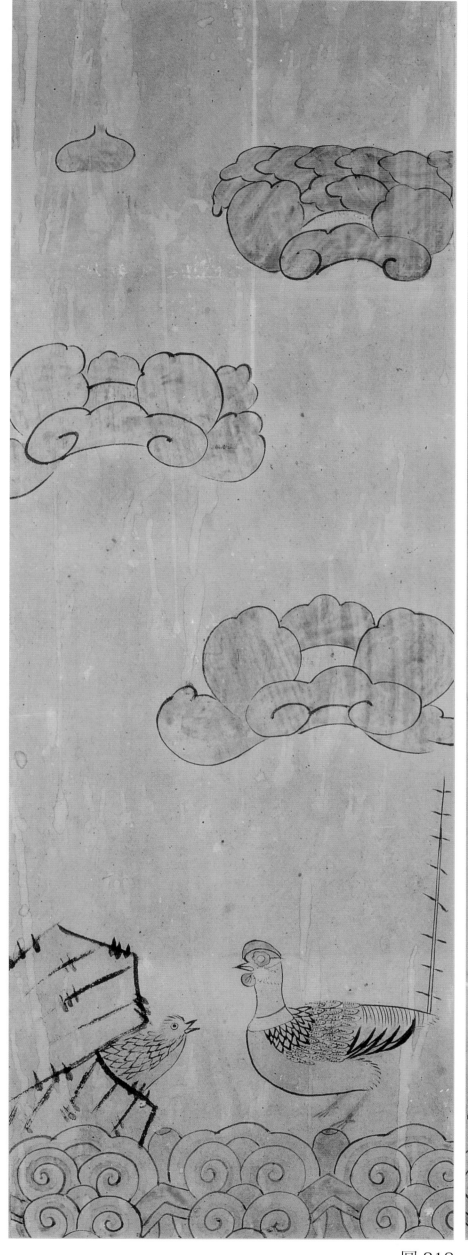

圖 218

圖 219

圖 220

圖 221

圖 222　　　　　　　　　　　　　　　　圖 223

圖 224

圖 225

圖 226

圖 227

圖 228

圖 229

圖 230

渭水直針

圖 231

圖 232

松下問童子

圖 233

圖 234

圖 235   圖 236

圖 237

圖 238

圖 239

圖 240

圖 241

圖 242   圖 243

圖 244

甲辰紫條
松霞寫

圖 245

圖 246

圖 247

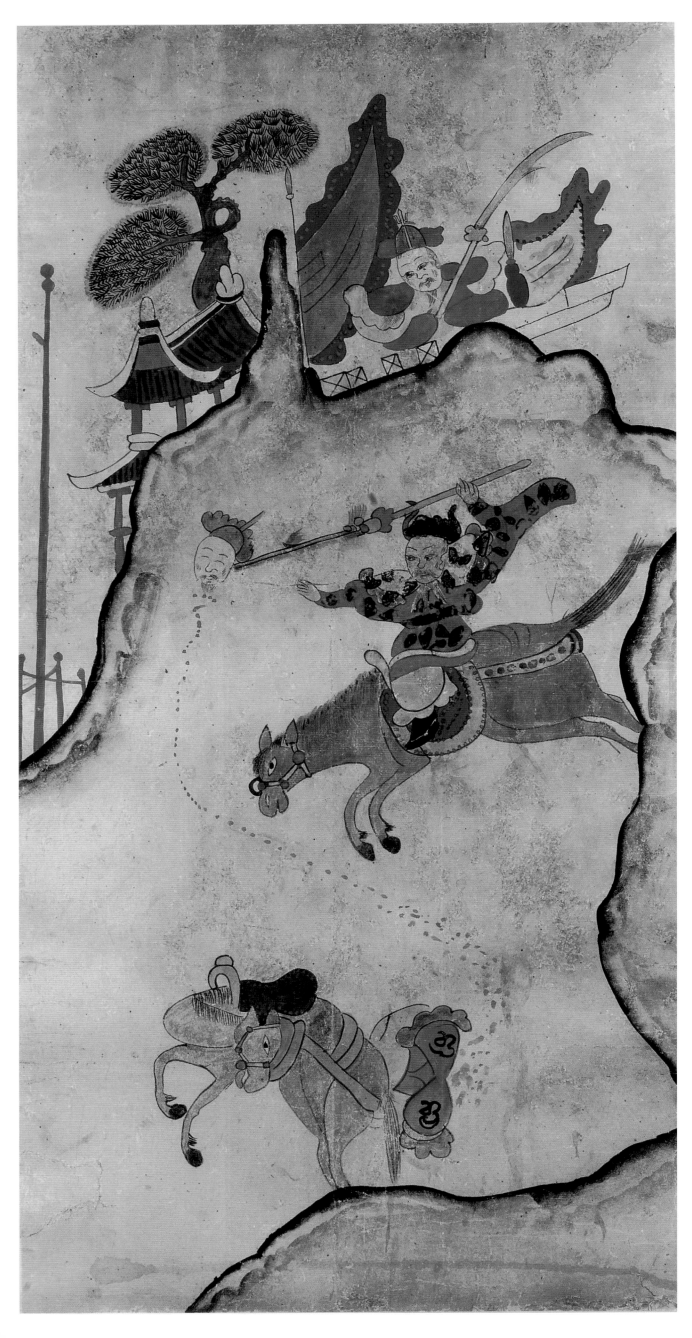

圖 248

圖 249

圖 250

圖 251

水搞七将

圖 252

赤壁火戰

圖 253

趙雲大破魏軍

圖 254

三将呂布

圖 255

古城擊鼓

圖 256

西城彈琴

圖 257

五関斬六將軍

圖 258

封五侯大將

圖 259

圖 260

圖 261

圖 262

圖 263

圖 264

圖 265

圖 266

圖 267

圖 268

圖 269

圖 270

圖 271

圖 272   圖 273

圖 276   圖 277

圖 278

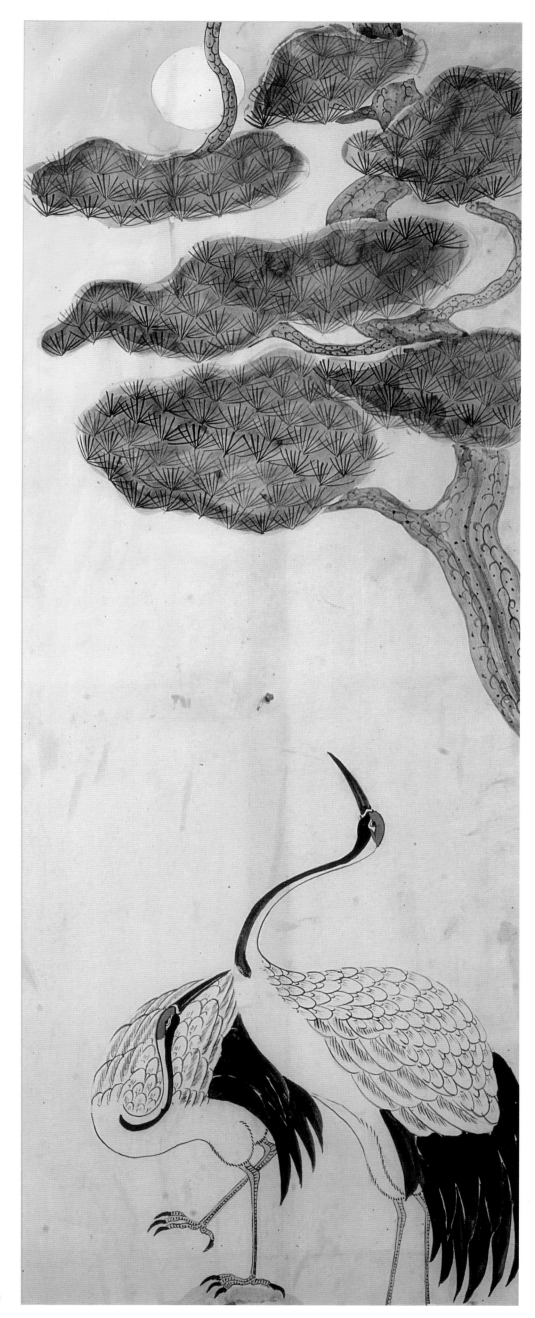

圖 279

圖 280

圖 281

圖 282

圖 283

圖 284

圖 285

圖版番號	작 품 명	作 品 名	works	재 질	材質	크키 (단위㎝)
圖 1	백호도	白虎圖	White Tiger	지본	紙本	60×94
圖 2	산수도	山水圖	Landscape	지본	紙本	38.2×66
圖 3	백호도	白虎圖	Landscape	지본	紙本	53×86.5
圖 4	해태	海豸	Unicorn-lion	지본	紙本	50.8×81
圖 5	호랑이	虎	Tiger	천	絹本	65.5×107.5
圖 6	운용도	雲龍圖	Dragon, Clouds	지본	紙本	66.3×124.5
圖 7	운용도 10폭 병풍/1폭	雲龍圖10幅屏風/1幅	Dragon, Clouds	지본	紙本	27×73.5
圖 8	나비	蝶	Butterflys	지본	紙本	14.5×22.5
圖 9	호피도 10폭 병풍/4폭	虎皮圖10幅屏風/4幅	Tiger Skins	지본	紙本	
圖 10	호피도 10폭 병풍/4폭	虎皮圖10幅屏風/4幅	Tiger Skins	지본	紙本	
圖 11	호피도 10폭 병풍/4폭	虎皮圖10幅屏風/4幅	Tiger Skins	지본	紙本	
圖 12	호피도 10폭 병풍/4폭	虎皮圖10幅屏風/4幅	Tiger Skins	지본	紙本	
圖 13	해태	海豸	Unicorn-lion	지본	紙本	30.5×42.8
圖 14	운용도	雲龍圖	Dragon, Clouds	지본	紙本	59.7×74
圖 15	문자도 8폭 병풍/4폭	文字圖8幅屏風/4幅	Characters	지본	紙本	26.8×78.5
圖 16	문자도 8폭 병풍/4폭	文字圖8幅屏風/4幅	Characters	지본	紙本	26.8×78.5
圖 17	문자도 8폭 병풍/4폭	文字圖8幅屏風/4幅	Characters	지본	紙本	26.8×78.5
圖 18	문자도 8폭 병풍/4폭	文字圖8幅屏風/4幅	Characters	지본	紙本	26.8×78.5
圖 19	문자도 8폭 병풍	文字圖 8幅 屏風	Characters	지본	紙本	29×91
圖 20	문자도 8폭 병풍	文字圖 8幅 屏風	Characters	지본	紙本	29×91
圖 21	문자도 8폭 병풍	文字圖 8幅 屏風	Characters	지본	紙本	29×91
圖 22	문자도 8폭 병풍	文字圖 8幅 屏風	Characters	지본	紙本	29×91
圖 23	문자도 8폭 병풍	文字圖 8幅 屏風	Characters	지본	紙本	29×91
圖 24	문자도 8폭 병풍	文字圖 8幅 屏風	Characters	지본	紙本	29×91
圖 25	문자도 8폭 병풍	文字圖 8幅 屏風	Characters	지본	紙本	29×91
圖 26	문자도 8폭 병풍	文字圖 8幅 屏風	Characters	지본	紙本	29×91
圖 27	문자도 8폭 병풍	文字圖 8幅 屏風	Characterflys	지본	紙本	29×93
圖 28	문자도 8폭 병풍	文字圖 8幅 屏風	Characters	지본	紙本	29×93
圖 29	문자도 8폭 병풍	文字圖 8幅 屏風	Characters	지본	紙本	29×93
圖 30	문자도 8폭 병풍	文字圖 8幅 屏風	Characters	지본	紙本	29×93
圖 31	문자도 8폭 병풍	文字圖 8幅 屏風	Characters	지본	紙本	29×93
圖 32	문자도 8폭 병풍	文字圖 8幅 屏風	Characters	지본	紙本	29×93
圖 33	문자도 8폭 병풍	文字圖 8幅 屏風	Characters	지본	紙本	29×93
圖 34	문자도 8폭 병풍	文字圖 8幅 屏風	Characters	지본	紙本	29×93
圖 35	문자도 10폭 병풍/4폭	文字圖10幅屏風/4幅	Characters	지본	紙本	33.8×83.5
圖 36	문자도 10폭 병풍/4폭	文字圖10幅屏風/4幅	Characters	지본	紙本	33.8×83.5
圖 37	문자도 10폭 병풍/4폭	文字圖10幅屏風/4幅	Characters	지본	紙本	33.8×83.5
圖 38	문자도 10폭 병풍/4폭	文字圖10幅屏風/4幅	Characters	지본	紙本	33.8×83.5
圖 39	문자도 4폭 병풍	文字圖 4幅 屏風	Characters	지본	紙本	32×66.5
圖 40	문자도 4폭 병풍	文字圖 4幅 屏風	Characters	지본	紙本	32×66.5
圖 41	문자도 4폭 병풍	文字圖 4幅 屏風	Characters	지본	紙本	32×66.5
圖 42	문자도 4폭 병풍	文字圖 4幅 屏風	Characters	지본	紙本	32×66.5
圖 43	문자도 8폭 병풍/4폭	文字圖8幅屏風/4幅	Characters	지본	紙本	35.3×109.5
圖 44	문자도 8폭 병풍/4폭	文字圖8幅屏風/4幅	Characters	지본	紙本	35.3×109.5
圖 45	문자도 8폭 병풍/4폭	文字圖8幅屏風/4幅	Characters	지본	紙本	35.3×109.5
圖 46	문자도 8폭 병풍/4폭	文字圖8幅屏風/4幅	Characters	지본	紙本	35.3×109.5
圖 47	문자도 8폭 병풍/4폭	文字圖8幅屏風/4幅	Characters	지본	紙本	29.7×104
圖 48	문자도 8폭 병풍/4폭	文字圖8幅屏風/4幅	Characters	지본	紙本	29.7×104
圖 49	문자도 8폭 병풍/4폭	文字圖8幅屏風/4幅	Characters	재본	紙本	29.7×104
圖 50	문자도 8폭 병풍/4폭	文字圖8幅屏風/4幅	Characters	지본	紙本	29.7×104
圖 51	문자도	文字圖	Characters	지본	紙本	37.7×78.5
圖 52	문자도 8폭 병풍/1폭	文字圖8幅屏風/1幅	Characters	지본	紙本	29×58

圖版番號	작 품 명	作 品 名	works	재 질	材 質	크키 (단위cm)
圖 53	문자도 6폭 병풍/2폭	文字圖6幅屏風/2幅	Characters	지본	紙本	35.5×96.5
圖 54	문자도 6폭 병풍/2폭	文字圖6幅屏風/2幅	Characters	지본	紙本	35.5×96.5
圖 55	문자도 6폭 병풍	文字圖 6幅 屏風	Characters	지본	紙本	34×74
圖 56	문자도 6폭 병풍	文字圖 6幅 屏風	Characters	지본	紙本	34×74
圖 57	문자도 6폭 병풍	文字圖 6幅 屏風	Characters	지본	紙本	34×74
圖 58	문자도 6폭 병풍	文字圖 6幅 屏風	Characters	지본	紙本	34×74
圖 59	문자도 6폭 병풍	文字圖 6幅 屏風	Characters	지본	紙本	34×74
圖 60	문자도 6폭 병풍	文字圖 6幅 屏風	Characters	지본	紙本	34×74
圖 61	문자도 8폭 병풍/2폭	文字圖8幅屏風/2幅	Characters	지본	紙本	35.5×83
圖 62	문자도 8폭 병풍/2폭	文字圖8幅屏風/2幅	Characters	지본	紙本	35.5×83
圖 63	문자도 4폭 병풍	文字圖 4幅 屏風	Characters	지본	紙本	35.7×60
圖 64	문자도 4폭 병풍	文字圖 4幅 屏風	Characters	지본	紙本	35.7×60
圖 65	문자도 4폭 병풍	文字圖 4幅 屏風	Characters	지본	紙本	35.7×60
圖 66	문자도 4폭 병풍	文字圖 4幅 屏風	Characters	지본	紙本	35.7×60
圖 67	문자도 2폭 병풍	文字圖 2幅 屏風	Characters	지본	紙本	35.7×99.4
圖 68	문자도 2폭 병풍	文字圖 2幅 屏風	Characters	지본	紙本	35.7×99.4
圖 69	문자도	文字圖	Characters	지본	紙本	26.7×77
圖 70	문자도 4폭 병풍	文字圖 4幅 屏風	Characters	지본	紙本	33×72.8
圖 71	문자도 4폭 병풍	文字圖 4幅 屏風	Characters	지본	紙本	33×72.8
圖 72	문자도 4폭 병풍	文字圖 4幅 屏風	Characters	지본	紙本	33×72.8
圖 73	문자도 4폭 병풍	文字圖 4幅 屏風	Characters	지본	紙本	33×72.8
圖 74	문자도	文字圖	Characters	지본	紙本	30×46
圖 75	문자도 2폭 병풍	文字圖 2幅 屏風	Characters	지본	紙本	27.7×37
圖 76	문자도 2폭 병풍	文字圖 2幅 屏風	Characters	지본	紙本	27.7×37
圖 77	문자도 8폭 병풍/4폭	文字圖8幅屏風/4幅	Characters	지본	紙本	29.8×46
圖 78	문자도 8폭 병풍/4폭	文字圖8幅屏風/4幅	Characters	지본	紙本	29.8×46
圖 79	문자도 8폭 병풍/4폭	文字圖8幅屏風/4幅	Characters	지본	紙本	29.8×46
圖 80	문자도 8폭 병풍/4폭	冊架圖8幅屏風/4幅	Characters	지본	紙本	29.8×46
圖 81	책가도 8폭 병풍/4폭	冊架圖8幅屏風/4幅	Bookshelves	지본	紙本	
圖 82	책가도 8폭 병풍/4폭	冊架圖8幅屏風/4幅	Bookshelves	지본	紙本	
圖 83	책가도 8폭 병풍/4폭	冊架圖8幅屏風/4幅	Bookshelves	지본	紙本	
圖 84	책가도 8폭 병풍/4폭	冊架圖8幅屏風/4幅	Bookshelves	지본	紙本	
圖 85	책가도	冊架圖	Bookshelves	지본	紙本	28×35.5
圖 86	책가도	冊架圖	Bookshelves	지본	紙本	28×35.5
圖 87	책가도 10폭 병풍	冊架圖 10幅 屏風	Bookshelves	지본	紙本	23×120
圖 88	책가도 10폭 병풍	冊架圖 10幅 屏風	Bookshelves	지본	紙本	23×120
圖 89	책가도 10폭 병풍	冊架圖 10幅 屏風	Bookshelves	지본	紙本	23×120
圖 90	책가도 10폭 병풍	冊架圖 10幅 屏風	Bookshelves	지본	紙本	23×120
圖 91	책가도 10폭 병풍	冊架圖 10幅 屏風	Bookshelves	지본	紙本	23×120
圖 92	책가도 10폭 병풍	冊架圖 10幅 屏風	Bookshelves	지본	紙本	23×120
圖 93	책가도 10폭 병풍	冊架圖 10幅 屏風	Bookshelves	지본	紙本	23×120
圖 94	책가도 10폭 병풍	冊架圖 10幅 屏風	Bookshelves	지본	紙本	23×120
圖 95	책가도 10폭 병풍	冊架圖 10幅 屏風	Bookshelves	지본	紙本	23×120
圖 96	책가도 10폭 병풍	冊架圖 10幅 屏風	Bookshelves	지본	紙本	23×120
圖 97	책가도	冊架圖	Bookshelves	지본	紙本	48.5×111.2
圖 98	책가도	冊架圖	Bookshelves	지본	紙本	34.3×104
圖 99	책가도 6폭 병풍/2폭	冊架圖6幅屏風/2幅	Bookshelves	지본	紙本	34×112
圖100	책가도 6폭 병풍/2폭	冊架圖6幅屏風/2幅	Bookshelves	지본	紙本	34×112
圖 101	책가도	冊架圖	Bookshelves	지본	紙本	58.8×115.2
圖 102	책가도	冊架圖	Bookshelves	지본	紙本	26×73
圖 103	책가도 8폭 병풍	冊架圖 8幅 屏風	Bookshelves	지본	紙本	33×82
圖 104	책가도 8폭 병풍	冊架圖 8幅 屏風	Bookshelves	지본	紙本	33×82

圖版番號	작 품 명	作 品 名	works	재 질	材 質	크키 (단위㎝)
圖 105	책가도 8폭 병풍	冊架圖 8幅 屛風	Bookshelves	지본	紙本	33×82
圖 106	책가도 8폭 병풍	冊架圖 8幅 屛風	Bookshelves	지본	紙本	33×82
圖 107	화조도 8폭 병풍	花鳥圖 8幅 屛風	Flowers, Birds	지본	紙本	33×82
圖 108	화조도 8폭 병풍	花鳥圖 8幅 屛風	Flowers, Birds	지본	紙本	33×82
圖 109	화조도 8폭 병풍	花鳥圖 8幅 屛風	Flowers, Birds	지본	紙本	33×82
圖 110	화조도 8폭 병풍	花鳥圖 8幅 屛風	Flowers, Birds	지본	紙本	33×82
圖 111	어해도 6폭 병풍/4폭	魚蟹圖6幅屛風/4幅	Fish and Crabs	지본	紙本	36×74
圖 112	어해도 6폭 병풍/4폭	魚蟹圖6幅屛風/4幅	Fish and Crabs	지본	紙本	36×74
圖 113	닭 6폭 병풍/4폭	鷄 6幅屛風/4幅	Fowls	지본	紙本	36×74
圖 114	송학도 6폭 병풍/4폭	松鶴圖6幅屛風/4幅	Pine tree, Cranes	지본	紙本	36×74
圖 115	화조도 8폭 병풍/4폭	花鳥圖8幅屛風/4幅	Flowers, Birds	지본	紙本	31.2×75.1
圖 116	화조도 8폭 병풍/4폭	花鳥圖8幅屛風/4幅	Flowers,Birds	지본	紙本	31.2×75.1
圖 117	어해도 8폭 병풍/4폭	魚蟹圖8幅屛風/4幅	Fish and Crabs	지본	紙本	31.2×75.1
圖 118	송학도 8폭 병풍/4폭	松鶴圖8幅屛風/4幅	Pine tree, Cranes	지본	紙本	31.2×75.1
圖 119	화조도 8폭 병풍/4폭	花鳥圖8幅屛風/4幅	Flowers, Birds	지본	紙本	28×79.5
圖 120	화조도 8폭 병풍/4폭	花鳥圖8幅屛風/4幅	Flowers, Birds	지본	紙本	28×79.5
圖 121	화조도 8폭 병풍/4폭	花鳥圖8幅屛風/4幅	Flowers, Birds	지본	紙本	28×79.5
圖 122	화조도 8폭 병풍/4폭	花鳥圖8幅屛風/4幅	Flowers, Birds	지본	紙本	28×79.5
圖 123	화조도 8폭 병풍/4폭	花鳥圖8幅屛風/4幅	Flowers, Birds	지본	紙本	33.5×88.5
圖 124	화조도 8폭 병풍/4폭	花鳥圖8幅屛風/4幅	Flowers, Birds	지본	紙本	33.5×88.5
圖 125	어해도 8폭 병풍/4폭	魚蟹圖8幅屛風/4幅	Fish and Crabs	지본	紙本	33.5×88.5
圖 126	송학도 8폭 병풍/4폭	松鶴圖8幅屛風/4幅	Pine tree, Cranes	지본	紙本	33.5×88.5
圖 127	매 10폭 병풍/4폭	鷹 10幅屛風/4幅	Hawks	지본	紙本	25.5×95
圖 128	송학도 10폭 병풍/4폭	松鶴圖10幅屛風/4幅	Pine tree, Cranes	지본	紙本	25.5×95
圖 129	대나무 10폭 병풍/4폭	竹 10幅屛風/4幅	bamboo	지본	紙本	25.5×95
圖 130	국화 10폭 병풍/4폭	菊花 10幅屛風/4幅	Chrysanthemum	지본	紙本	25.5×95
圖 131	화조도 10폭 병풍/5폭	花鳥圖10幅屛風/5幅	Flowers, Birds	지본	紙本	34×82
圖 132	화조도 10폭 병풍/5폭	花鳥圖10幅屛風/5幅	Flowers, Birds	지본	紙本	34×82
圖 133	화조도 10폭 병풍/5폭	花鳥圖10幅屛風/5幅	Flowers, Birds	지본	紙本	34×82
圖 134	화조도 10폭 병풍/5폭	花鳥圖10幅屛風/5幅	Flowers, Birds	지본	紙本	34×82
圖 135	사슴 10폭 병풍/5폭	鹿 10幅屛風/5幅	Deers	지본	紙本	34×82
圖 136	매 10폭 병풍/2폭	鷹 10幅屛風/2幅	Hawks	지본	紙本	35.7×105.5
圖 137	학 10폭 병풍/2폭	鶴 10幅屛風/2幅	Cranes	지본	紙本	35.7×105.5
圖 138	화조도 8폭 병풍/4폭	花鳥圖8幅屛風/4幅	Flowers,Birds	지본	紙本	44.2×86
圖 139	화조도 8폭 병풍/4폭	花鳥圖8幅屛風/4幅	Flowers,Birds	지본	紙本	44.2×86
圖 140	봉황도 8폭 병풍/4폭	鳳凰圖8幅屛風/4幅	Chiness phoenixs	지본	紙本	44.2×86
圖 141	학 8폭 병풍/4폭	鶴 8幅屛風/4幅	Cranes	지본	紙本	44.2×86
圖 142	봉황 8폭 병풍	鳳凰 8幅 屛風	Chiness phoenixs	지본	紙本	
圖 143	석류 8폭 병풍	石榴 8幅 屛風	Pomegranate	지본	紙本	
圖 144	연화도 8폭 병풍	蓮花圖 8幅 屛風	Lotus Flowers	지본	紙本	
圖 145	화조도 8폭 병풍	花鳥圖 8幅 屛風	Flowers, Birds	지본	紙本	
圖 146	화조도 8폭 병풍	花鳥圖 8幅 屛風	Flowers, Birds	지본	紙本	
圖 147	화조도 8폭 병풍	花鳥圖 8幅 屛風	Flowers, Birds	지본	紙本	
圖 148	화조도 8폭 병풍	花鳥圖 8幅 屛風	Flowers, Birds	지본	紙本	
圖 149	송학도 8폭 병풍	松鶴圖 8幅 屛風	Pine tree, Cranes	지본	紙本	
圖 150	화조도 6폭 병풍	花鳥圖 6幅 屛風	Flowers, Birds	지본	紙本	34.2×59.5
圖 151	화조도 6폭 병풍	花鳥圖 6幅 屛風	Flowers, Birds	지본	紙本	34.2×59.5
圖 152	화조도 6폭 병풍	花鳥圖 6幅 屛風	Flowers, Birds	지본	紙本	34.2×59.5
圖 153	화조도 6폭 병풍	花鳥圖 6幅 屛風	Flowers, Birds	지본	紙本	34.2×59.5
圖 154	화조도 6폭 병풍	花鳥圖 6幅 屛風	Flowers, Birds	지본	紙本	34.2×59.5
圖 155	화조도 6폭 병풍	花鳥圖 6幅 屛風	Flowers, Birds	지본	紙本	34.2×59.5
圖 156	대나무, 학 8폭 병풍	竹, 鶴 8幅屛風	bamboo, Cranes	지본	紙本	32.5×101.7

圖版番號	작 품 명	作 品 名	works	재 질	材 質	크 키 (단위cm)
圖 157	공작새 8폭 병풍	孔雀 8幅 屛風	Peacock	지본	紙本	32.5×101.7
圖 158	화조도 8폭 병풍	花鳥圖 8幅 屛風	Flowers, Birds	지본	紙本	32.5×101.7
圖 159	닭 8폭 병풍	鷄 8幅 屛風	Fowls	지본	紙本	32.5×101.7
圖 160	모란도 8폭 병풍	牧丹圖 8幅 屛風	Peonies	지본	紙本	32.5×101.7
圖 161	화조도 8폭 병풍	花鳥圖 8幅 屛風	Flowers, Birds	지본	紙本	32.5×101.7
圖 162	토끼 8폭 병풍	兎 8幅 屛風	Rabbit	지본	紙本	32.5×101.7
圖 163	송학도 8폭 병풍	松鶴圖 8幅 屛風	Pine tree, Cranes	지본	紙本	32.5×101.7
圖 164	매화 8폭 병풍/4폭	梅 8幅屛風/4幅	Japaness Plant	지본	紙本	26×61.5
圖 165	매 8폭 병풍/4폭	鷹 8幅屛風/4幅	Hawks	지본	紙本	26×61.5
圖 166	버드나무 8폭 병풍/4폭	柳 8幅屛風/4幅	Willow	지본	紙本	26×61.5
圖 167	송학도 8폭 병풍/4폭	松鶴圖8幅屛風/4幅	Pine tree, Cranes	지본	紙本	26×61.5
圖 168	백납병 8폭 병풍/4폭	百衲屛8幅屛風/4幅		지본	紙本	29.8×94.5
圖 169	백납병 8폭 병풍/4폭	百衲屛8幅屛風/4幅		지본	紙本	29.8×94.5
圖 170	백납병 8폭 병풍/4폭	百衲屛8幅屛風/4幅		지본	紙本	29.8×94.5
圖 171	백납병 8폭 병풍/4폭	百衲屛8幅屛風/4幅		지본	紙本	29.8×94.5
圖 172	국화 6폭 병풍/3폭	菊花 6幅屛風/3幅	Chrysanthemum	지본	紙本	37×107
圖 173	송학도 6폭 병풍/3폭	松鶴圖6幅屛風/3幅	Pine tree, Cranes	지본	紙本	37×107
圖 174	매 6폭 병풍/3폭	鷹 6幅屛風/3幅	Hawks	지본	紙本	37×107
圖 175	국화 10폭 병풍/3폭	菊花 10幅屛風/3幅	Chrysanthemum	지본	紙本	25.3×88.7
圖 176	화조도 10폭 병풍/3폭	花鳥圖10幅屛風/3幅	Flowers, Birds	지본	紙本	25.3×88.7
圖 177	기러기 10폭 병풍/3폭	雁 10幅屛風/3幅	Wild gooses	지본	紙本	25.3×88.7
圖 178	산수도 8폭 병풍/2폭	山水圖8幅屛風/2幅	Landscape	지본	紙本	39.5×81.7
圖 179	산수도 8폭 병풍/2폭	山水圖8幅屛風/2幅	Landscape	지본	紙本	39.5×81.7
圖 180	산수도 7폭 병풍	山水圖7幅屛風	Landscape	지본	紙本	26.4×74.8
圖 181	산수도 7폭 병풍	山水圖7幅屛風	Landscape	지본	紙本	26.4×74.8
圖 182	산수도 7폭 병풍	山水圖7幅屛風	Landscape	지본	紙本	26.4×74.8
圖 183	산수도 7폭 병풍	山水圖7幅屛風	Landscape	지본	紙本	26.4×74.8
圖 184	산수도 7폭 병풍	山水圖7幅屛風	Landscape	지본	紙本	26.4×74.8
圖 185	산수도 7폭 병풍	山水圖7幅屛風	Landscape	지본	紙本	26.4×74.8
圖 186	산수도 7폭 병풍	山水圖7幅屛風	Landscape	지본	紙本	26.4×74.8
圖 187	산수도	山水圖	Landscape	지본	紙本	39×65
圖 188	산수도 2폭 병풍	山水圖2幅屛風	Landscape	지본	紙本	39×84.5
圖 189	산수도 2폭 병풍	山水圖2幅屛風	Landscape	지본	紙本	39×84.5
圖 190	산수도 10폭 병풍	山水圖10幅屛風	Landscape	천	絹本	28.7×86
圖 191	산수도 10폭 병풍	山水圖10幅屛風	Landscape	천	絹本	28.7×86
圖 192	산수도 10폭 병풍	山水圖10幅屛風	Landscape	천	絹本	28.7×86
圖 193	산수도 10폭 병풍	山水圖10幅屛風	Landscape	천	絹本	28.7×86
圖 194	산수도 10폭 병풍	山水圖10幅屛風	Landscape	천	絹本	28.7×86
圖 195	산수도 10폭 병풍	山水圖10幅屛風	Landscape	천	絹本	28.7×86
圖 196	산수도 10폭 병풍	山水圖10幅屛風	Landscape	천	絹本	28.7×86
圖 197	산수도 10폭 병풍	山水圖10幅屛風	Landscape	천	絹本	28.7×86
圖 198	산수도 10폭 병풍	山水圖10幅屛風	Landscape	천	絹本	28.7×86
圖 199	산수도 10폭 병풍	山水圖10幅屛風	Landscape	천	絹本	28.7×86
圖 200	산수도 10폭 병풍/5폭	山水圖10幅屛風/5幅	Landscape	천	絹本	
圖 201	산수도 10폭 병풍/5폭	山水圖10幅屛風/5幅	Landscape	천	絹本	
圖 202	산수도 10폭 병풍/5폭	山水圖10幅屛風/5幅	Landscape	천	絹本	
圖 203	산수도 10폭 병풍/5폭	山水圖10幅屛風/5幅	Landscape	천	絹本	
圖 204	산수도 10폭 병풍/5폭	山水圖10幅屛風/5幅	Landscape	천	絹本	
圖 205	산수도	山水圖	Landscape	지본	紙本	37×120.6cm
圖 206	산수도 8폭 병풍/4폭	山水圖8幅屛風/4幅	Landscape	지본	紙本	
圖 207	산수도 8폭 병풍/4폭	山水圖8幅屛風/4幅	Landscape	지본	紙本	
圖 208	산수도 8폭 병풍/4폭	山水圖8幅屛風/4幅	Landscape	지본	紙本	

圖版番號	작 품 명	作 品 名	works	재질	材質	크기 (단위cm)
圖 209	산수도 8폭 병풍/4폭	山水圖8幅屏風/4幅	Landscape	지본	紙本	
圖 210	산수도 10폭 병풍/6폭	山水圖10幅屏風/6幅	Landscape	지본	紙本	37.5×110
圖 211	산수도 10폭 병풍/6폭	山水圖10幅屏風/6幅	Landscape	지본	紙本	37.5×110
圖 212	산수도 10폭 병풍/6폭	山水圖10幅屏風/6幅	Landscape	지본	紙本	37.5×110
圖 213	산수도 10폭 병풍/6폭	山水圖10幅屏風/6幅	Landscape	지본	紙本	37.5×110
圖 214	산수도 10폭 병풍/6폭	山水圖10幅屏風/6幅	Landscape	지본	紙本	37.5×110
圖 215	산수도 10폭 병풍/6폭	山水圖10幅屏風/6幅	Landscape	지본	紙本	37.5×110
圖 216	집 8폭병풍/4폭	家 8幅屏風/4幅	House	지본	紙本	44×159
圖 217	구름,새8폭병풍/4폭	雲, 鳥 8幅屏風/4幅	Clouds, Birds	지본	紙本	44×159
圖 218	봉황 8폭병풍/4폭	鳳凰 8幅屏風/4幅	Chiness phoenixs	지본	紙本	44×159
圖 219	학 8폭병풍/4폭	鶴 8幅屏風/4幅	Cranes	지본	紙本	44×159
圖 220	백동자도 8폭 병풍	百童子圖 8幅 屏風	Game Painting	지본	紙本	33.2×96
圖 221	백동자도 8폭 병풍	百童子圖 8幅 屏風	Game Painting	지본	紙本	33.2×96
圖 222	백동자도 8폭 병풍	百童子圖 8幅 屏風	Game Painting	지본	紙本	33.2×96
圖 223	백동자도 8폭 병풍	百童子圖 8幅 屏風	Game Painting	지본	紙本	33.2×96
圖 224	백동자도 8폭 병풍	百童子圖 8幅 屏風	Game Painting	지본	紙本	33.2×96
圖 225	백동자도 8폭 병풍	百童子圖 8幅 屏風	Game Painting	지본	紙本	33.2×96
圖 226	백동자도 8폭 병풍	百童子圖 8幅 屏風	Game Painting	지본	紙本	33.2×96
圖 227	백동자도 8폭 병풍	百童子圖 8幅 屏風	Game Painting	지본	紙本	33.2×96
圖 228	설화도	說話圖	Tales Painting	지본	紙本	44×83.4
圖 229	설화도	說話圖	Tales Painting	지본	紙本	30×53
圖 230	설화도 8폭 병풍/4폭	說話圖8幅屏風/4幅	Tales Painting	지본	紙本	34.2×74.3
圖 231	설화도 8폭 병풍/4폭	說話圖8幅屏風/4幅	Tales Painting	지본	紙本	34.2×74.3
圖 232	설화도 8폭 병풍/4폭	說話圖8幅屏風/4幅	Tales Painting	지본	紙本	34.2×74.3
圖 233	설화도 8폭 병풍/4폭	說話圖8幅屏風/4幅	Tales Painting	지본	紙本	34.2×74.3
圖 234	설화도 10폭 병풍/5폭	說話圖10幅屏風/5幅	Tales Painting	지본	紙本	28.5×77
圖 235	설화도 10폭 병풍/5폭	說話圖10幅屏風/5幅	Tales Painting	지본	紙本	28.5×77
圖 236	설화도 10폭 병풍/5폭	說話圖10幅屏風/5幅	Tales Painting	지본	紙本	28.5×77
圖 237	설화도 10폭 병풍/5폭	說話圖10幅屏風/5幅	Tales Painting	지본	紙本	28.5×77
圖 238	설화도 10폭 병풍/5폭	說話圖10幅屏風/5幅	Tales Painting	지본	紙本	28.5×77
圖 239	경직도	耕織圖	Farming Painting	지본	紙本	26.8×57.5
圖 240	설화도	說話圖	Tales Painting	지본	紙本	30×87.8
圖 241	설화도10폭병풍/5폭	說話圖10幅屏風/5幅	Tales Painting	지본	紙本	37×74.2
圖 242	설화도10폭병풍/5폭	說話圖10幅屏風/5幅	Tales Painting	지본	紙本	37×74.2
圖 243	설화도10폭병풍/5폭	說話圖10幅屏風/5幅	Tales Painting	지본	紙本	37×74.2
圖 244	설화도10폭병풍/5폭	說話圖10幅屏風/5幅	Tales Painting	지본	紙本	37×74.2
圖 245	설화도10폭병풍/5폭	說話圖10幅屏風/5幅	Tales Painting	지본	紙本	37×74.2
圖 246	삼국지도 6폭 병풍	三國志圖 6幅 屏風	Stories frome the Chinese Three Kingdoms	지본	紙本	35×71
圖 247	삼국지도 6폭 병풍	三國志圖 6幅 屏風	Stories frome the Chinese Three Kingdoms	지본	紙本	35×71
圖 248	삼국지도 6폭 병풍	三國志圖 6幅 屏風	Stories frome the Chinese Three Kingdoms	지본	紙本	35×71
圖 249	삼국지도 6폭 병풍	三國志圖 6幅 屏風	Stories frome the Chinese Three Kingdoms	지본	紙本	35×71
圖 250	삼국지도 6폭 병풍	三國志圖 6幅 屏風	Stories frome the Chinese Three Kingdoms	지본	紙本	35×71
圖 251	삼국지도 6폭 병풍	三國志圖 6幅 屏風	Stories frome the Chinese Three Kingdoms	지본	紙本	35×71
圖 252	삼국지도 8폭 병풍	三國志圖 8幅 屏風	Stories frome the Chinese Three Kingdoms	지본	紙本	31.5×70
圖 253	삼국지도 8폭 병풍	三國志圖 8幅 屏風	Stories frome the Chinese Three Kingdoms	지본	紙本	31.5×70
圖 254	삼국지도 8폭 병풍	三國志圖 8幅 屏風	Stories frome the Chinese Three Kingdoms	지본	紙本	31.5×70
圖 255	삼국지도 8폭 병풍	三國志圖 8幅 屏風	Stories frome the Chinese Three Kingdoms	지본	紙本	31.5×70
圖 256	삼국지도 8폭 병풍	三國志圖 8幅 屏風	Stories frome the Chinese Three Kingdoms	지본	紙本	31.5×70
圖 257	삼국지도 8폭 병풍	三國志圖 8幅 屏風	Stories frome the Chinese Three Kingdoms	지본	紙本	31.5×70
圖 258	삼국지도 8폭 병풍	三國志圖 8幅 屏風	Stories frome the Chinese Three Kingdoms	지본	紙本	31.5×70
圖 259	삼국지도 8폭 병풍	三國志圖 8幅 屏風	Stories frome the Chinese Three Kingdoms	지본	紙本	31.5×70
圖 260	호렵도 10폭 병풍	胡獵圖 10幅 屏風	Hunting Tiger	지본	紙本	570×99

圖版番號	작 품 명	作 品 名	works	재 질	材 質	크키 (단위 cm)
圖 261	호렵도 10폭 병풍	胡獵圖 10幅 屛風	Hunting Tiger	지본	紙本	570×99
圖 262	호렵도 10폭 병풍	胡獵圖 10幅 屛風	Hunting Tiger	지본	紙本	570×99
圖 263	호렵도 10폭 병풍	胡獵圖 10幅 屛風	Hunting Tiger	지본	紙本	570×99
圖 264	호렵도 10폭 병풍	胡獵圖 10幅 屛風	Hunting Tiger	지본	紙本	570×99
圖 265	호렵도 10폭 병풍	胡獵圖 10幅 屛風	Hunting Tiger	지본	紙本	570×99
圖 266	호렵도 10폭 병풍	胡獵圖 10幅 屛風	Hunting Tiger	지본	紙本	570×99
圖 267	호렵도 10폭 병풍	胡獵圖 10幅 屛風	Hunting Tiger	지본	紙本	570×99
圖 268	호렵도 10폭 병풍	胡獵圖 10幅 屛風	Hunting Tiger	지본	紙本	570×99
圖 269	호렵도 10폭 병풍	胡獵圖 10幅 屛風	Hunting Tiger	지본	紙本	570×99
圖 270	호렵도 6폭 병풍/2폭	胡獵圖6幅屛風/2幅	Hunting Tiger	지본	紙本	45.5×93.2
圖 271	호렵도 6폭 병풍/2폭	胡獵圖6幅屛風/2幅	Hunting Tiger	지본	紙本	45.5×93.2
圖 272	사슴도	鹿	Deers	지본	紙本	33.2×94
圖 273	사당도	祠堂圖		지본	紙本	41.7×62.7
圖 274	십장생도	十長生圖	Ten Longevity Symbols	지본	紙本	56.4×92.6
圖 275	십장생도	十長生圖	Ten Longevity Symbols	지본	紙本	38×85
圖 276	화조도	花鳥圖	Flowers, Birds	지본	紙本	41.8×65
圖 277	사슴도	鹿	Deers	지본	紙本	36.4×89.5
圖 278	공작 8폭병풍/4폭	孔雀 8幅屛風/4幅	Peacock	지본	紙本	32.5×118
圖 279	송학도 8폭병풍/4폭	松鶴圖8幅屛風/4幅	Pine tree, Cranes	지본	紙本	32.5×118
圖 280	사슴 8폭병풍/4폭	鹿 8幅屛風/4幅	Deers	지본	紙本	32.5×118
圖 281	호랑이 8폭병풍/4폭	虎 8幅屛風/4幅	Tiger	지본	紙本	32.5×118
圖 282	산신도	山神圖	God of a Mountain	천	絹本	85×115
圖 283	산신도	山神圖	God of a Mountain	천	絹本	74×110
圖 284	산신도	山神圖	God of a Mountain	천	絹本	76×96
圖 285	꿩	雉	Pheasants	지본	紙本	44.5×27.7

韓國民畵全集
한 국 민 화 전 집

한국민화전집
韓國民畵全集
THE FOLK PAINTINGS OF KOREA

저자 이영수 _ 著者 李寧秀
· 홍익대학교 미술대학 동양화과 졸업
· 연세대학교 경영 대학원 수료
· 러시아 하바로스코프 국립사범대학 명예 예술학 박사
· 경남대학교, 국립부산대학교, 육군사관학교, 세종대학교,
  강남대학교, 홍익대학교 교수 및 강사 역임
· 단국대학교 예술대학장, 산업디자인 대학원장 역임

저서
· 한국민화전집 2권 (도서출판 아트벤트_매거진아트)
· 조선시대 민화 6권 (도서출판 예원)
· 이영수와 그의 예술화집 1권 (미술공론사)
· 제24회 서울올림픽대회 우표집 1권 3만부 (대한민국 체신부)
  현대채색화 대전 3권 (예림)
· 미술해부도 2권 (예림)
· 현대한국화 실기대전 7권 (예림)
· 묵 그리고 선 2권 이영수 누드화집 (NUDE DRAWINGS) (예림)
· 세계 문양대전 2권 (예림)
· 사군자 5권 (예림)

현재
· 단국대학교예술대학종신명예교수

초판인쇄 2018년 7월 15일 **초판발행** 2018년 7월 25일

저자 이영수

기획 · 자문 이광현 [010-8986-4000]
　　　　　　서울특별시 양천구 목동 서로. 225

편집인 권영일, 이미혜

출판등록 제 312-1999-074호

발행인 윤영수

발행처 한국학자료원 **주소** 서울시 서대문구 홍제3동 285-18

문의전화 02-3159-8050 **팩스** 02-3159-8051

휴대전화 010-4799-9729

사진촬영 폴앤잭스튜디오
　　　　　서울시 강남구 논현동 247번지 지하 1층 (02-544-2416)
　　　　　정원영 [실장 ｜ 010-5301-1625]
　　　　　김명섭 [팀장 ｜ 010-7224-1598]
　　　　　정요셉 [010-9956-6390] 조희재 [010-3304-3992]
　　　　　김명준 [010-5055-9375]

값 100,000원 (1, 2권 세트 200,000원)

ISBN (2권) 978-89-93025-56-9
ISBN (세트 전2권) 978-89-93025-54-5

공급처 한국서적유통 **문의전화** 02-3159-8050 **팩스** 02-3159-8051